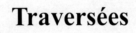

Traversées

Nicolas Minair

Traversées
Recueil

LE LYS BLEU
ÉDITIONS

© Lys Bleu Éditions – Nicolas Minair

ISBN : 979-10-377-9036-1

Préface

Mon ami Nicolas est parvenu, une fois de plus, avec ce nouveau recueil, à me charmer, à m'émerveiller, à m'enchanter…

Ces quelques vers posés ci et là, au gré de ses promenades, m'ont aussi permis de découvrir et de redécouvrir les merveilles de notre région.

Sa perception si fine de la nature provoque dans mon âme une émotion dont je ne me lasse pas.

Continue à écrire, mon ami, car un monde sans poètes serait comme un monde sans abeilles, car le poète est le butineur de nos sens et le pollinisateur de nos vies.

Nathalie

Maroilles après la pluie.

Un arc-en-ciel assoiffé plonge sa flèche multicolore dans l'étang.

Ravissement chromatique pour dames foulques qui ont pour une fois un écran en couleur !

On dirait que le moulin puise la lumière, la convertit en énergie, celle de l'Helpe qui chute du déversoir d'un bien bon débit.

La pluie, mauvaise joueuse, trouble le tableau,
digne de la palette automnale d'un peintre venu
esquisser ce paysage mouillé.

L'aube s'abreuve de la blancheur des bouleaux, se réveille en douceur sous la bise du vent, se lève sous l'impulsion du chant du coq.

Les mésanges s'envoient des vœux de bonne année, une pie, en vigie sur le pignon du toit, colporte les nouvelles d'une branche à l'autre, tandis que le chat affûte regard et griffes.

C'est Nouvel An, même pour les animaux !

Rivière, 01/01/22

Traversée à gué du Crinchon de bon matin.

Posez le regard, comme Eugène Cuvelier le fit pour encadrer le paysage d'un cliché.

Le ruisseau, voyelles liquides, s'est accoudé aux berges de la voyette pour saluer l'oie qui a décliné le repas du réveillon.

Les arbres, en plein flirt avec le lierre, profitent de la lumière et des températures douces.

Ici, ce n'est pas une photographie que je prends, mais un poème que j'écris pour conserver dans les méandres la mémoire de Rivière.

Entre les hameaux Le Fermont et Grosville, 01/01/22

Rue des Sources, sources des premières sensations : le prunus, le cerisier, le paulownia au sourire candide sous le frais azur, le bouleau aux feuilles ciselées, le saule, vieil homme s'inclinant au gré du vent, le magnolia candélabre rutilant, et toi, cèdre bleu, aède au souffle du vent.

Allée de l'Eau Vive, ton érable flambant au retour des automnes.

Allée des Rocailles, ton gravier crissant où j'ai glissé mes pas, ta terre argileuse où poussent les iris, et toi, le cerisier blanc vrombissant d'insectes.

Allée des Cascades, où se décline le coloris des primevères.

Allée du Gué, rempart des Hurlevent avant de traverser…

Résidence La Fontaine, Marly, 02/01/22

Le long de la Deûle, la berge se réchauffe au soleil, bien campé à son Zénith, caressant les troncs des platanes de ses rayons revigorés.

Un banc ferme les yeux, absorbe la lumière, claire, comme le peintre hiver sait si bien.

Les péniches font la grasse matinée, tandis que les grèbes huppés batifolent, et les cormorans, dressés sur des pilotis, font office de gnomon.

Plus loin, des conteneurs astiquent leurs parois pour être rutilants.

Un aviron passe, pressé de rejoindre la Basse-Deûle pour débarquer au port.

Le long de la Deûle, Lille, 09/01/22

Bien au chaud dans un cyprès, un passereau échange avec un de ses congénères, sur l'autre rive de la Rhonelle enrhumée, les nouvelles du soir s'approchant à pas feutrés : la brume retombe en fin rideau, va bientôt baisser les paupières des oiseaux assoupis, envelopper leur nid d'un voile d'hivernage, les dissimuler aux yeux des sapins jaloux de n'être pas habités pendant la période.

Seuls quelques locataires temporaires, comme les écureuils, passent à l'occasion. Histoire de se dégourdir un peu les pattes.

Quant à mon stylo, le voilà qui s'engourdit, l'encre gèle, le texte s'enroue, les mots pâlissent. Ayez bonté d'âme de l'accueillir : mon poème se blottit contre votre cœur.

Jardin de la Rhonelle, 12/01/22

Plaine de Genech, trempée, noyée, gorgée d'eau des pluies diluviennes.

La terre s'est transformée en mare où se mire le ciel, mal réveillé, nuages hirsutes, yeux humides, à l'haleine fraîche.

L'humidité a gagné le sol.

Les chênes sessiles sont saturés, les saules s'essorent à l'air frais.

Genech, 15/01/22

Au sommet du charbonnage la vue se brouille.

Chape de brume sur Colfontaine, le ciel fortifie les remparts des terrils d'une épaisse couverture nuageuse.

Courageuses sont les fourmis qui ont grimpé le sentier sinueux, que les bouleaux balisent, marche par marche, pour admirer avec amour la vallée de la Haine.

Terril de Wasmes, 16/01/22

Pleine lune : la première de l'année.

Tu éclaires le soir de ton aura laiteuse, ton œil posé sur la cime des peupliers.

Hostie qui lave le péché de noire nuit, quelle présence féminine sanctifies-tu ?

Il est prouvé que ton flux féminin perturbe mères, marées, sommeil, hormones ou accouchements.

Les êtres sexués sentiront dans le sang étrange sensation, crispation sensible, que seule une danse folle saura cesser.

Les corps, mélanges de sueur et de salive, auront peine à se sevrer de cette sève !

Ciel, pleine lune de janvier

Début d'après-midi.

Alors que les petits s'endorment, le brouillard, qui s'est tenu à l'écart, vient déposer ses froides mains sur les fenêtres.

Le froid s'insinue par tous les interstices. Cherche-t-il à les couvrir dans leur sommeil ?

Ou insinuer quelques rêves glacials, comme un ourson se dandinant sur la banquise ?

L'école, plongée dans ta ouate et le silence, tu profites du vide laissé par le froid pour remplir la cour de récréation.

Curgies, 24/01/22

Midi à la citadelle.

Le soleil ceinture les arbres d'une timide chaleur, tout comme les câbles de l'accrobranche accrochent les rayons.

Dans les cimes, les pics épeiches sonnent l'heure du pique-nique.

La Deûle, flânant, promène ses passants.

Citadelle de Lille, 30/01/22

Réveil hivernal.

Le bleu nuit s'éclaire d'un bleu qui se lève, lavé de la lumière de l'aube.

Le vent a l'air de poncer la toile du ciel.

L'horizon se colore d'une citronnade, plus près se découpe la silhouette de l'église, comme un théâtre d'ombres.

Saultain, 31/01/22

Nouvel An Chinois.

Le tigre s'est réveillé, pour chasser les nuages d'un rugissement qui fait s'éloigner les cirrus spinnatus, que n'arrêtent ni l'aiguille des sapins, ni les dents de l'antenne, ni les coups d'aile de la pie.

S'affale le crépuscule.

Le fauve s'allonge, s'étire, lisse son pelage, laissant ici là quelques tâches de sang.

Le félin a dû combattre tout le jour.

Le voici exténué, son souffle court et rauque fait frissonner les branches.

Seuls les oiseaux relaient sans vergogne sa périlleuse lutte.

Résidence La Fontaine, 02/02/21

Le ciel a bonne mine !

Teint clair, signe d'un soin du visage en vue des rigueurs de l'hiver.

Peu de rides, si ce n'est les plis des nuages.

Seuls points noirs à la carnation de la peau : quelques avions griffent sa joue, laissant des sillons. Le vent, prodiguant un gommage naturel, effacera les traces, ne laissant resplendir que ce grain de beauté qu'est le croissant de lune.

La lèvre inférieure garde trace d'une morsure : flirt avec le soleil déjà couché.

Alors le ciel applique sa crème de nuit.

Mais il en a trop mis, j'aperçois quelques zones où la crème n'a pas encore pénétré.

Route d'Artres, 07/02/22

Chemin de Saint-Roch.

Le vent sur les hauteurs fait grand raffut, qui fait déguerpir les corbeaux.

Les cumulus, chargés, sont poussés avec peine : convoi de larmes qui s'abat sur les sols trempés et sur la terre boueuse qui nous façonna.

Les chênes aux troncs massifs encerclant la chapelle empêchent les rafales de communier.

D'où vient le vent soufflant si fort en février ?

La table d'orientation en perd le Nord : Sebourg, Angre, Crespin, Hautrage, Warquignies.

Sont-ce les éoliennes de Dour qui le chassent à la frontière ? Heureusement, point de contrôle !

Chapelle Saint-Roch, Angre, 08/02/22

Le soleil dans le dos, moi, gnomon de mon ombre, je marche sur les pavés, comme un pion avance au jeu de l'oie.

1, 2, 3 se suivent les pas.

Pas de marche arrière, pas de saut de pavés. Seul arrêt : Les Cailloux, pour saluer la gent bovine.

Madame la vache avance à pas comptés dans la boue collante pour gagner l'abreuvoir.

Le pas est mesuré : aucun lancer de dé supplémentaire !

Hors-jeu, les veaux broutent avec calme.

Chemin des Postes, Aulnoy-lez-Valenciennes,
11/02/22

Eunice s'est mise en colère, s'est réveillée en sursaut juste après la sieste, vagissant après mère Nature pour la consoler.

Peine perdue : dans son désarroi, elle souffle, tempête, vocifère.

Elle balaie les rues, culbute les poubelles, fait tanguer les câbles.

D'où je suis, je peux mesurer sa force ; force aussi de la morale, si chère à La Fontaine, que sont le chêne et le roseau.

Ici, un sapin s'incline, nettoyant le ciel, là, un platane a cédé à la panique : par ce temps, il en a même perdu la tête !

Gageons que le saule pleureur, si souple, saura ployer sans s'effondrer !

Résidence La Fontaine, 18/02/22

Sarabande d'oiseaux dans le vent : cette clique vire de-ci, de-là, dans un joyeux chahut.

C'est que le vent, s'époumonant sur son fifre, entraîne les carnavaleux dans son tumulte.

Hélas ! Pas de ceux qui dévalent dans les rues, comme une pinte de bière coule dans la gorge !

Ce sont juste de joyeux drilles emplumés qui fêtent malgré le temps le vent, la vie !

Résidence La Fontaine, 22/02/22

À contre-courant, je longe la Scarpe, salue la poule d'eau qui nage le long de sa cahute.

Son cri, tel un frein de vélo mal huilé, nous avertit : ici gîtent ses petits !

Non loin, le terril côtoie la rivière, épouse ses plis : alliance de la terre et de l'eau.

Au chant des oiseaux pépiant dans le bois de bouleau, on sent que l'hiver s'adoucit.

Témoins, ces bourgeons, duvets doux comme le printemps à venir.

Terril de Germignies, 23/02/22

Meaurain au crépuscule, ultimes éclats du jour dans les vitraux de la chapelle des Français, aire de paix à la croisée des routes belges.

Au loin, dans un champ, un peloton d'arbres tire une ligne de démarcation : conflit entre le bleu sombre qui annexe le ciel et l'orange qui incendie l'horizon.

Le duel fini, les résidus de lumière, épars dans les flaques du sentier qui conduit à la Nuit, s'éteignent peu à peu comme braise mourante.

Meaurain, 27/02/22

Face au soleil qui se couche, la maison somnole, baisse les paupières.

La façade imprégnée de la lumière crépusculaire se teinte d'orangé, on dirait un pavillon chinois empreint de nostalgie pour sa Chine natale.

Le paysage s'y prête : les arbres en fleurs !

Voyez le forsythia, le prunus ou le magnolia qui s'embrase par la tête.

Les oiseaux aussi, dans leur chant pentatonique, célèbrent un soir de printemps, ici, à Marly. Un héron, solitaire, passe et lisse le ciel.

Enfin, les nuages en toile de fond, s'éclipsent derrière les toits comme dans une estampe.

Résidence La Fontaine, 24/03/22

Récital dans la roselière.

Les fuligules vocalisent le printemps.

En introduction : les voyelles de l'eau qu'une bouscarle éclabousse.

En prélude : les sons nasalisants de l'étang que relaie la mélodie d'un glacier au loin.

Puis, le concert s'exécute : rires sarcastiques, cris, râles, trompettes, couinement, sons indéchiffrables pour le promeneur mal averti des signaux !

Étangs d'Harchies, 03/04/22

Grand vent.

Le cerisier, si frêle, frémit face à un tel phénomène.

Voilà une branche qui s'accroche à mon col ; les fleurs ne veulent pas se détacher de la capsule où elles sont arrimées.

Le paulownia joue des maracas : on croirait entendre la mer sur la plage.

Coutures resserrées, les sapins se renferment au passage des bourrasques.

Quant aux peupliers, joie est de constater qu'ils râpent le ciel d'être tant pliés aux règles d'Éole !

Résidence La Fontaine, 10/04/22

Jublains, cité antique des Diablinthes, voici les ruines de ton théâtre à flanc de colline, où tu te plais à jouer la comédie, face aux plaines attentives.

Tandis que la chaleur grimpe en ce mois d'avril, le vent par degrés dévale les marches.

En fond de scène, les bouleaux verdissent d'un vert tendre, calqués sur l'herbe des prés, sous l'éclairage du soleil aux premières loges du spectacle.

Parfois, un léger voile recouvre la scène.

Merci à Orgétorix, marchand pour avoir offert ce site, dédié à l'empereur et à Jupiter, amateur de tragédies !

Jublains, 15/04/22

Discret, le coucou s'annonce au bord de l'étang.

Le voilà de retour, mais ce n'est pas le même qui me salue près de chez moi, un jour d'avril !

Ici, en Bretagne, sa présence se mélange aux oiseaux aquatiques : oies, canards, poules d'eau. Précoce est son entrée, comme la floraison des colzas brodant le brocard dans les champs ou le lilas embaumant l'air autour de lui.

C'est jeudi saint.

Le ciel est radieux, le soleil rayonne, prémices d'un évangile : après l'hiver reverdit le Verbe et la Vie !

Étang de Châtillon-en Vendelais, 19/04/22

De quoi as-tu peur, la faunesse, après la pluie ?

Vendémiaire Pavot t'a pourtant ciselé pour les matins de printemps ou les soirs d'automne, pour le soleil de juillet ou la pluie de mai.

Alors, pourquoi ces larmes, ruisselantes, sur tes joues ?

Ne sont-elles pas les caresses fugitives d'une main céleste, tendue par un ange ?

Ne repousse donc pas les avances du vent ni le cliché passionné du photographe !

Parc de la Rhonelle, 25/04/22

Dimanche de mai fleuri : le premier !

Uccle s'est bouclée en une journée.

Bruxelles n'est pas loin, mais sa rumeur s'estompe le long des jardins et parcs où le rhododendron et l'azalée fleurissent les pavillons assoupis.

La forêt de Soignes soigne ses arbres.

Témoin ce mémorial commémorant le souvenir des victimes, barbarie dont les bouleaux apaisent la violence.

Quant à toi, cimetière du Dieweg où la nature célèbre la vie, le muguet fleurit à l'ombre des tombes…

Uccle, 1/05/22

Avec qui joues-tu à cache-cache le coucou ?

Je te vois tisser d'une cime à l'autre guirlande d'où s'égrènent salutations sympathiques aux passereaux voisins, aux arbres connivents qui relèvent leur tête, pour reposer tes pattes après un long un vol long-courrier d'avril en mai.

Ta solitude s'est brisée : un autre toi suit le fils de ton chant, répondant à l'appel ; écho peut-être enfin trouvé, amour naissant de printemps juste avant de se dire au revoir…

Rue des Sources/Allée des Rocailles/
Allée de la Cascade, 05/05/22

Deux escargots s'aiment d'amour tendre, sur les tiges d'un torilis, au bord d'un champ qui, lentement, gagne en maturité.

Un troisième, solitaire, se laisse balancer par le vent frais du soir.

Les aubépines en fleurs rappellent l'avril ou les matins poudrés de neige.

Les herbes, au bord du talus, étirent leurs pétioles pour capter les dernières lueurs du crépuscule. Soleil : sois satisfait, les jeunes pousses croissent dans le cadre défini par le fermier !

Dans mon jardin, 08/05/22

Près de l'étang où batifolent libellules, une caravane abandonnée, porte ouverte, attend le curieux qui jettera un coup d'œil, avant de se rendormir dans la tiédeur de mai.

Non loin, caché par une haie, palette de bois en guise de porte, un terrain vague semble avoir accueilli une troupe d'artistes.

Témoins, ces tréteaux qui ne produisent plus que des acteurs invisibles, de vieux accessoires de décor posés çà et là, dont un miroir où se reflète le ciel bleu, une mouche sur la joue.

Deux chaises causent encore, une en osier attend son tour, gardant son rôle de matriarche.

Des palettes dessinent un escalier donnant sur une parcelle céréalière : le champ est libre !

Enfin la scène, cachée par une bâche, fait la joie du vent qui répète son monologue avec, en contrepoint, le coucou qui commente.

Artres, 12/05/22

Merle dans le ginkgo siffle la belle vie, au Belvédère, où les passants de Belleville flânent, planent, ou investissent les pentes du parc.

La perspective est belle : beau temps pour ce soir.

Les cumulus, avançant sans embouteillage, jettent un regard bienveillant sur les monuments : la tour Eiffel, dont la pointe pique le ventre d'un nuage, le Centre Pompidou, l'église Saint-Sulpice, la tour Montparnasse, axe où pivote le ciel en apparence !

On le sait : la révolution de la sphère impose au soleil un timing bien serré !

Belleville, Paris, 27/05/22

Bientôt minuit : le métro est encore en course sillonnant les souterrains d'une station à l'autre, tel le lombric creusant sa galerie.

Voyez-le foncer dans le tunnel, particule atomique accélérant sous la poussée du désir des voyageurs de rentrer, de sortir.

Ce soir, seul sur un quai, j'ai ressenti le vide entre les molécules : moi, électron libre, sortant du Cirque Électrique pour entrer dans le circuit électrique qu'est le réseau francilien !

Métro station Belleville/la Motte Picquet, 27/05/22

Instinct de félin : tu dédaignes la caresse et te focalises sur ceux de ton espèce.

Aux aguets, dos arqué, pupilles dilatées : gouffre d'ombre d'où n'ose sortir la lumière.

Mini trous noirs, mais grand espoir pour votre race : anéantir d'un seul regard votre adversaire !

Bastet le sait, qui, sous sa forme courroucée, écrase sous ses griffes chaque grief.

Rue des Sources, Marly, 07/06/22

Trail des Sarrasins.

Le soleil assiste à la course, bien que parti perdant, caché par les nuages.

Miracle ! Le ciel lève un pan du voile, laisse l'astre, en fin de parcours, remonter le moral des sportifs qui, eux aussi, ont bouclé la boucle.

Famars, Aulnoy, Artres : ils ont foulé les prairies puis sont arrivés juste au crépuscule, afin de sceller leur périple à celui de l'étoile.

Famars, 10/06/22

Vitraux de la chapelle vous rayonnez de gloire, infusez votre lumière aux fleurs des rosaces qui gagnent les cieux, où les angelots célèbrent le Verbe, devenu rose en ce jour où la plus sacrée des fleurs embaume l'autel.

Béni soit ce domaine où la nature est reine !

Chapelle de Chaalis, 11/06/22

Deux libellules s'accouplent au bord de l'étang.

La lumière se plaît à décocher ses traits à travers le motif de leur union : le cœur, que le Dieu Éros aime tant à taquiner !

Les grenouilles, extatiques, célèbrent le midi chauffé à blanc.

La surface de l'eau reflète la joie qu'offre la vie au printemps à Chaalis !

Jardin de l'abbaye de Chaalis, 11/06/22

C'est l'doudou c'est l'mama, c'est saint Georges qui a tué le dragon !

Trois fois sainte, Mons, en ce jour de Trinité ! Et les Montois, oui, les Montois, vibrants à l'unisson !

La bête létale à la morsure fatale : par la lance transpercée… Son règne brisé !

Béni soit l'archange qui du preux chevalier insuffla force, bravoure, ténacité, tenant tête à ce Lumeçon dans la cité !

Fête du Doudou, Mons, 12/06/22

Le long de la Rhonelle serpentent les champs, sinuant, telle l'onde, d'allure modérée.

Les orties, irritant la peau mais pas le vent, obligent le pas à ralentir la cadence, tout comme le rythme des vers que je compose, foulant le foin fauché qui craque sous le pied.

Les peupliers semblent applaudir mon avancée, ou mes poèmes, que-sais-je !

Pourtant, je n'ai pas couru le trail nocturne, récemment, le long de ses berges…

Qu'il est doux le son des feuilles qui palpitent : pluie, s'il en est, pour le pèlerin bien assoiffé !

Le long de la Rhônelle, 15/06/22

Fête de la musique : loin des concerts urbains, des percussions se répercutant sur les murs faisant vibrer les cœurs, et les vitres, je suis au calme au centre Mormal, écoutant le chant du vent dans l'arboretum.

D'ailleurs les feuilles du bouleau blanc applaudissent à tout rompre la compagnie théâtrale composée de Marie Grauette, d'une de ses consœurs sorcières et de Joëlle Jonas, auteure patoisante, ou encore la sylvothérapeute Delphine Delhaye, au regard doux et bienveillant qui nous donne à voir et toucher les essences.

Planète Aroma : essentielles en notre temps, les huiles essentielles nous soignent, nous prémunissent de l'adversité en ce monde.

Puissent les plantes offrir à nos corps et esprits la douce panacée !

Centre Mormal, Le Quesnoy, 21/06/22

La gare de Lille devient bassin aquatique : un poulpe immense s'est suspendu aux solives, tout en dentelle, strass, paillettes argentées.

Est-il un prince de la froide mer du Nord venu prendre ses quartiers d'été en Flandres ?

Est-ce une espèce rare échouée sur cette terre ?

Ces tentacules audacieux suspendus au-dessus de nos têtes vont-ils aspirer nos pensées, nos émotions, nos fluides vitaux ?

Ou plutôt aspirons-nous à nous élever vers cette galaxie tentaculaire ?

Gare Lille-Flandres, 25/06/22

Silence ! C'est l'heure solennelle où le soleil se meurt, giclant un pourpre sang sous de blanches montagnes qu'édifie une longue chaîne de cumulus.

Une vache ouvreuse indique la route à suivre.

Les criquets modulent les fréquences pour que tous profitent du spectacle, dans les gradins des champs

Les lapins, taquins, jouent à 1,2, 3 soleil, s'arrêtant quand l'œil de l'astre se retire.

Des hannetons détricotent le maillage du jour, d'autres, tels des drones, filment la scène en 4 K.

La cloche sonne dix coups.

Les corbeaux, rassasiés, rentrent après le générique de fin.

La cloche sonne les onze coups, bientôt minuit !

L'horizon, tout en crêtes et plats, perd son pouls.

L'électrocardiogramme du ciel s'aplanit…

Calme plat.

Chemin des Postes, 27/06/22

Le bouquet d'acacia soupire un souffle chaud dans ce soir presque estival où la nuit se pâme, recouvrant de sa tunique champs et boqueteaux.

Éteint, le soleil flamboyant a rendu l'âme.

Le vent veut de la futaie percer les mystères, Dodone Aulnésien où les visions s'obombrent et les sons, insondables, parviennent de la terre ;

Doucement, les feuilles bruissent dans la pénombre.

C'est l'heure où la chouette crie par intervalle, celant dans son chant le mystère des nuits tièdes.

L'horizon, bouche d'ombre du paysage, avale la moindre parcelle du jour chantée par l'aède.

Chemin des Postes, 29/06/22

Beau soir de Debussy, tu sieds bien ce soir d'été au parc du château de Seneffe, après le concert bucolique « Au jardin d'Ispahan », joué avec brio par un trio : alto, harpe, violon, vous nous avez tous envoûtés, comme le miel suave que confectionne l'abeille.

Face à la fontaine du bassin circulaire, jet puissant qui rafraîchit la chaleur du ciel, je compose des vers dont la mélodie plaît, je l'espère, aux mélomanes, mais aussi à l'Homme à l'écoute des douces voix de la nature !

Château de Seneffe, 03/07/22

Avec le vent je compose une mélodie : lui soufflant des notes, dans les peupliers, moi, en traduisant ce que les feuilles dictent.

Et ça fait dans les prairies une belle ritournelle !

« V'là l'bon vent, v'là l'joli vent… » qui s'étend sur la plaine, comme une blanche nappe étalée pour le pique-nique.

Foin des épis de maïs, de blé ou des tiges de luzerne !

C'est l'été !

Mon panier de rimes déposé, je m'allonge sur l'herbe reposée, pour délier mes jambes…

Route d'Artres, 05/07/22

Dernier coup d'œil de l'astre solaire, dont les cils font couler le mascara sur la paupière. Regard tourné vers la lune oblongue, il contemple sa sœur avant de sombrer dans l'obscurité, qu'il a créée lui-même.

Dispensateur de lumière, il a l'occulte pouvoir de nous en priver.

Criquet, qui stridule pour te caler sur les ondes propagées par le spectre lumineux, tu tentes de transcrire en vibrations ce que l'étoile envoie en ondes – et particule – comme dirait le physicien, qui a découvert cette facette de personnalité, ô toi, lumière !

Chemin des Postes, 10/07/22

N'ai pas vu le blé coupé par la moissonneuse, cette tige si frêle, comme tige de prêle sectionnée alors que la sève gonflait chaque grain mûri au soleil de juin et de juillet.

Hélas, ne sentirai plus sur ma joue ce doux picotis d'acupuncture champêtre.

Le lièvre et le mulot ne seront plus à l'abri des midis brûlants, le soleil ne dorera plus les champs où les céréales haletaient !

Champs autour d'Aulnoy-lez-Valenciennes, Famars...
12/07/22

Ballots de paille, figés dans votre mouvement giratoire, telles roues à aubes (ou celles de mon véhicule regagnant la ville au crépuscule), tandis que le vent se lève, fier de convoquer l'orage salvateur après la canicule, faisant craquer les foins des champs labourés ou crépiter les herbes gorgées de cigales, vers quel horizon – ici plongé dans la nuit – vous acheminez-vous ?

Le but de votre périple n'est-il pas de rouler à toute allure vers le ciel pour rejoindre les constellations, celle de Canis Major, amenant chaleur et incendie dans les bosquets chauffés à blanc ?

Je vous vois, particules élémentaires rangées comme dans le tableau périodique des éléments. Ici, amas de molécules champêtres sur le réseau sans fin des champs.

Saulzoir, 16/07/22

Au loin, dans les bois, un pic épeiche communique un message codé.

Je connais : c'est du morse !

Mon passage, pourtant pédestre, donc paisible, s'inscrit sur le registre tenu par la ferme d'à côté, sous la plume du vent.

Sont écrits : nom, prénom, date de passage, vitesse de marche, pensées formulées sous le ciel d'été ; ainsi que l'âge, afin de témoigner aux futurs promeneurs de l'état des lieux, ici à Preux-au-Sart !

Preux-au-Sart, 17/07/22

Promenons-nous au crépuscule aux Murs à pêches pour que les pêches gorgées de sucre s'unissent aux nuages, dont le teint velouté – et la peau – exprime ce bel orangé teinté de rose.

Je déambule le long des murs, les jardins silencieux et bienveillants me laissent flâner ; touchant, humant, admirant chaque plante.

Ici la molène ou le bouillon-blanc qui s'étire, là, la belladone aux fruits noirs comme la mort !

Murs à Pêches, Montreuil, 23/07/22

Moret-sur-Loing, vue de près : c'est l'impression qui saisit Sisley face à l'église gothique baignée dans l'azur, le même que Mallarmé, son ami, exaltât dans un de ses poèmes.

Que la rivière est fraîche cet après-midi !

L'onde venue de loin lèche mes pieds charrie les galets polis par le temps et par l'eau qui arrondit les contours.

Le soleil se reflète en multiples éclats, par touches qu'apposerait l'artiste, palette de vert, marron, blanc.

Pour moi, il est difficile de célébrer la lumière : tu baignes nos corps et ennoblis nos esprits sous le ciel d'été !

Moret-Sur-Loing, 24/07/22

Sainte-Chapelle, dédiée à l'apocalypse, tu révèles aux croyants la mission divine qui échut à ces rois : Henri II, Charles V, gardiens du sceau des prophètes, annonçant la descente des Anges exterminateurs et la montée aux Cieux de chaque fidèle.

Bénis par la lumière émanant des vitraux, les rayons de la lune emblème d'Henri II, le fervent pèlerin ou le bref visiteur !

Château de Vincennes 26/07/22

Cycas de Chine, tu as traversé les âges, du Jurassique, où le tricératops se frottait à tes palmes passées au peigne fin, à l'an 2022, où ma tête se frotte à toi, caressant cette main tendue depuis l'avènement de l'homme.

D'après ton origine, ta feuille semble un guzheng sur laquelle s'égrène une douce musique, comme la bruine qui se répand sur nos corps pour rafraîchir notre peau, et notre mémoire.

Jardin des Plantes, Vincennes, 27/07/22

Crépuscule.

La volière atténue ses teintes mais pas les couleurs des flamants roses.

Écoutez leurs cris : ce sont les potins du soir recueillis au vol.

Plus loin, des addax se donnent des coups de corne, deux rhinocéros se poussent l'un l'autre. Qui va rentrer le premier au bercail ?

Le zèbre pariera-t-il une rayure ?

Repues, les lionnes contemplent la scène de loin.

Perché, le vautour, sa tête cachée dans l'aile, prépare un numéro de magie.

Patientez !

C'est bientôt la nuit, l'otarie bat le rappel.

Les manchots sonnent l'heure de la fermeture.

Zoo de Vincennes, 28/07/22

L'ombre est salutaire.

Pourquoi vouloir glorifier la lumière ?

Souci de vérité, en effet, mais la pénombre adoucit notre orgueil : celui de vouloir tout le temps pénétrer les arcanes de l'univers, dévoiler les secrets gardés au sein de dame nature, percer le réel, en somme plonger au cœur des atomes imbriqués dans le réseau qui se trame loin de notre vision, de notre perception.

Ainsi nul n'a la clé qui ouvre les portes de l'éternité !

Parc de la Haute-Île, Neuilly-Sur-Marne, 29/07/22

Midi face à la tour Eiffel.

Un chœur de fidèle loue le seigneur et sa lumière.

Pour les touristes, c'est le spot où immortaliser la Dame, soi devant, adossée au palais de Chaillot, le musée de l'Homme en vis-à-vis.

Admirez le travail des architectes en cette cité de l'architecture et du patrimoine : Paris !

Place du Trocadéro, 30/07/22

Calme dans le pré.

Seule s'entend l'excitation du courant dans les câbles électriques, relais vers les pylônes, témoins des messages gravitant autour des champs presque indifférents.

Il est temps d'éclairer la ville avant la nuit !

Nous sommes parcourus d'ondes radio, lumineuses, telluriques, même, paraît-il, gravitationnelles.

Parmi ces flux, j'envoie une onde poétique, fréquence régulière : c'est ça de gagné !

Chemin des Postes, 02/08/22

Brillant par son absence, le soleil laisse place à la lune, altière, drapée dans son sari orangé, qui se marie avec l'horizon couleur de pêche mûre, dont le jus se répand sur les lèvres pulpeuses du ciel.

Dans les champs, les éoliennes brassent l'air qui rafraîchit, ces soirs d'août, les corps trop échauffés en ces jours caniculaires où la chaleur règne.

Ciel nocturne, 10/08/22

Super lune de l'esturgeon, ont-ils écrit !

Quelle métaphore peu louable pour cet astre ô combien vénéré des peuples, depuis Chang'E, déesse exilée, tranquille dans son palais, à Sélène qui s'éprit du bel Endymion, sans oublier Sin, dieu babylonien orné d'un croissant.

Ici c'est une galette, dorée, cuite à point !

Ciel nocturne, 11/08/22

Qu'est-ce que le temps sinon l'ombre de moi-même ?

Porté par les jours enfilés sur le collier des saisons qui encerclent l'année, me voici ce matin, à penser à ce flux, débuté dans le flou de la naissance, qui se perpétue maintenant, anticipant une après-midi.

Le palmier dans le jardin semble non affecté par l'égrènement du rosaire chaque seconde. Pourtant, au niveau atomique, quels changements !

Comme dit Carlo Rovelli, l'ordre du temps ne s'ordonne que par le biais de ma conscience. Biaisé, je le suis, mais face à l'arbre qui goûte la chaleur et moi, la fraîcheur, nous sommes quittes !

Dans ma chambre, 12/08/22

Quelle chaleur assèche les marais enchâssés dans les chatons des bagues sertissant la Sambre !

Écrin de verdure qui craint quand même la chaleur, l'assèchement, l'incendie dévastateur !

Le long du canal, en plein soleil, à midi, on se désaltère à la vue des plantes : tanaisie qui démultiplie le jaune de l'étoile, cardère qui n'a plus une seule goutte en stock ; et la faune avicole : canard, grèbe, héron, sterne.

Seuls quelques cris témoignent de l'animation !

Marais des Etoquies, Landrecies, 14/08/22

Sous le ciel lourd, chargé des pluies tombées ce jour, les maïs se dégourdissent, le soir venu, se balançant, au gré du vent, soufflant tiédeur sur les saules bientôt endormis, faisant la joie du grillon qui cisèle son refrain ; tandis que moi je fredonne, plus léger, un chant nocturne avec l'assentiment des étoiles.

La nuit s'étend, la nuit s'éprend de la pénombre où elle glisse une main gantée pour saisir l'opaque noirceur pesant dans les frondaisons ou plongeant dans les méandres de la Rhônelle.

Route d'Artres, 19/08/22

Temple de l'amour : tu inspires, respires l'air matinal, encore à l'ombre, avant que le soleil n'éclaire tes colonnes, ta voûte, et l'étang alentour où se reposent oies, canards, cygnes. Signes !

C'est bien ça !

Derrière les grilles jalouses qui gardent l'accès, des paons guettent les amoureux, amants transis, ou le solitaire qui dédie sa pensée au dieu Éros.

Quel amour est idéal ?

L'amour pur comme le plumage blanc du paon, brillant, chatoyant comme la neige au soleil ? Ou l'amour multiple comme les ocelles parant cet autre paon paré pour la parade ?

N'est-ce pas plutôt l'amour mystique, qui se joue, auquel on prête foi un matin estival ?

Temple de l'Amour, Fresnes-sur-Escaut, 21/08/22

Presque silencieuse, une bande d'oiseaux passe au-dessus de moi.

Leur vol : froissement d'étoffe.

Malgré les nuages, l'objectif est clair, le cap maintenu, tandis que pour nous, les humains, le vol connaît de multiples turbulences, déviations.

Bref, ce qui fait que l'existence, notre trajet, s'effectue par multiples détours.

Donc, oiseaux, je ferais bien de copier votre droiture !

Résidence La Fontaine, 22/08/22

La montgolfière flirte avec l'horizon.

C'est la terre qui s'éprend de l'air !

Le ballon chauffé tend vers les nuages : douce ascension.

Le sol l'attire par l'effet de gravité qui me laisse aussi rivé à ce sentier.

Hommes, qui survolez ces prés et champs, voyez les cadastres mis à nu par la moisson, l'écheveau des pylônes et leur fils électriques, enfin le doux cortège des bois et des bosquets, sans oublier la Rhônelle, ce fil conducteur !

Chemin des postes, 23/08/22

C'est excitant comme un mercredi à la mer !

Ici, la plage lustre son argenterie : voyez les belles fontes, les fines dorures…

Le vent n'a pas besoin de dévoiler ces corps : c'est nus que nous foulons le sable ; grain de beauté contre grain de silice.

N'est-ce pas pur délice ?

Le ciel parfois se couvre d'un voile : par pudeur ?

Pour nous préserver des coups de chaleur que procurent ces sculptures héritées des Grecs et des Romains ?

Plage de Bredene, 24/08/22

J'ai parcouru 7000 ans en seulement quelque pas !

Parti du Néolithique (le menhir l'atteste), je suis entré dans une ferme des premiers âges, puis découvert la technique des métaux.

Ces huttes abritant aussi par la suite les Gaulois.

De l'oppidum, j'ai bifurqué au carrefour gallo-romain, visité là une villa : superbe domus !

Et ce temple (fameux fanum) recèle l'autel des Dieux !

Tout autre hôte, la nécropole, vestige des défunts, nous rappelle cette maxime : Carpe Diem !

Archéosite d'Aubechies-Beloeil, 25/08/22

Notre-Dame des Dunes, l'onde bénéfique émanant de vous se propage de la terre jusqu'aux cieux, comme les vagues de la mer.

Que chaque grain de sable sertisse le rosaire de ce corail amené par la marée.

La statue, bien que lourde, nous semble aérienne : la Vierge flotte sur l'océan des souffrances, tenant dans ses bras hors de l'eau son fils, qui pêche aussi, mais des hommes, au creux desquels brille une perle : leur cœur.

Coxyde, 28/08/22

La Terre tourne un peu moins vite !

Pourtant sa tête tourne quand les hommes avides d'or et de cents accélèrent leur cadence contre le temps.

Vide, leur cœur ; vide, leur esprit ; vides, leur corps : objets consommés, remplis de substances consumées, qu'on somme de profits !

Gain de temps, gain d'argent !

Terre ne précipite pas trop vite l'automne : l'équinoxe fera la balance.

Jour et nuit alternent au rythme de nos battements de cœur.

Ralentis le pas : je vais rentrer dans ta ronde.

Sur Terre, 30/08/22

Sur le poteau électrique, un grillon envoie des signaux.
Que disent-ils ?

Les nouvelles fraîches de la soirée ?

La tristesse de l'été qui s'avance, la rentrée des classes étant imminente ?

Ou simplement la joie de chanter dans les champs ?

Plus loin des chouettes m'effraient : leurs discours obscurs, leurs cris gutturaux, qu'augurent-ils ?

Faste ? Néfaste ? Gageons le fait que les signes soient au beau fixe !

Chemin nocturne, 31/08/22

Fin de journée.

Le Gros Caillou (grès de Montfort) se dore au soleil, encor puissant, en septembre.

Face à lui, les éoliennes en procession saluent le rocher qui a dû en voir, du peuple, des civilisations grandir et s'effondrer, surtout des intempéries : pluie, grêle, orage, neige ou la main de l'homme sur sa surface polie.

Tranquille, il observe la campagne : Vendegies et Sommaing-sur-Écaillon, et là-bas, Verchain-Maugré, qui maugrée peut-être de ne pas abriter ce prestigieux hôte !

Vendegies-Sur-Écaillon, 04/09/22

Au champ : scène de ménage chez les perruches !

C'est remonté comme une soirée orageuse, l'atmosphère, lourde de conséquences, à voir les oiseaux se répondre sans discontinuité.

On ressent de la colère, de la flatterie, même si leur babil nous reste intraduisible, inaudible (passez-moi l'expression !)

Le silence que requiert le vaudeville d'une cime à l'autre est souvent interrompu par les commentaires des spectateurs : autres oiseaux, vaches, ragondin perturbé par ma présence aussi.

La Rhonelle, 06/09/22

Après l'impossible pépiement des perruches, voici le tintamarre des vaches : meuglement à qui mieux mieux !

Qui sera la première à traiter d'égal à égal avec leur maître ?

Seul souci : être bien traitées, bien traites aussi. Du bon lait blanc, comme ce nuage, ce soir, tiré d'une traite, vidé d'un trait pour les amateurs de produits laitiers.

À peine écrit ce poème, je n'entends plus rien, à part le clapotis de l'eau de la Rhônelle issue, elle aussi, de notre mère la Terre.

La Rhonelle, 06/09/22

Le beau temps a pris le large : le ciel a éclaté son paquet.

Crépitement de grêlons qui jouent aux fléchettes sur le plan d'eau.

Les bateaux de plaisance, impassibles, ne bougent pas d'un iota, à la capitainerie, on observe l'horizon : bouché comme si une nappe de brume avait recouvert la grand-route.

Au loin, l'église Saint-Ghislain pointe le bout de son clocher, seul phare éclairant le canal.

Grand large, Mons, 10/09/22

Pavillon des sept étoiles, en plein jour, la voûte voit se refléter l'eau mouvante de l'étang.

Au centre, les planètes font la ronde autour de moi, axe cosmique d'où rayonne le bonheur de flâner dans le parc du château, en compagnie d'un ami, du soleil, et du parfum des roses.

Mercure, Vénus, Jupiter, Saturne, Uranus, Neptune, Pluton nous emportent dans une danse où notre Terre est l'objet de tous les regards.

Château d'Enghien, 11/09/22

À la couture de cumulus sans histoire, un ciel de lit grisâtre déborde.

On perçoit la blancheur des nuages comme flocons de neige se ternir, c'est que le vent aime gribouiller !

Bien avant l'heure de se coucher, le soleil s'éclipse, recouvert par une teinture sombre…

Rombies-et-Marchipont, 16/09/22

En pente douce l'été avance ses pions sur l'échiquier de l'automne où la reine se meurt.

Bien qu'elle ait semé du bon grain et récolté les fruits de son labeur, le temps, patient semeur, a placé dans la pomme d'Eden le ver de la Mort, qui, bonne joueuse, a préféré laisser croître l'épi mûr avant le fauchage, tardif.

Dans les champs d'amour et d'espérance, vois ; celle qui fit tant preuve de patience meurt…

Route d'Artres, 21/09/22

Assis sur un tronc surplombant la rivière, je goûte au dernier regard de l'été.

La lumière filtrée par les branches des saules crée des espaces d'ombre.

Les feuilles éclairées nous renvoient à nos zones d'ombres intérieures : le goût de la nuit, du déclin, de la finitude, aidant nos ténèbres à s'épaissir dans nos rêves.

Même si toute cette noirceur nous submerge, pensons à ces rais de soleil catalysant nos peurs, nos angoisses existentielles, nos démons.

Qu'ils soient à tout jamais renvoyés au néant !

La Rhonelle, 22/09/22

L'été se relie à l'automne.

La transition est parfaite : une tiède chaleur mêlée à une pluie légère, ciel mi-figue, mi-raisin.

Les ardoises du tour vont essuyer les plâtres de la saison nouvelle : nouvelles cartes jouées, distribuées aux feuillus, postées par le vent.

Carte saisonnière revisitée ! Au menu : écrasé de champignons sur son lit de mousse, citrouille clandestine aux minuits exsangues, cerf sauce grand veneur pour la Mort mal venue, pommes tombées à point des vergers surannés.

Et si sa sœur le Printemps fait la fine bouche, elles ne tarderont pas à se crêper le chignon : brune chevelure, des matins de mai fleuri.

Rousse chevelure, des rayons dorés d'octobre.

Rue des Sources, Marly, 23/09/22

Katerina Kulikova, musicienne, vous amenez d'Ukraine la douceur du printemps. Parée en votre robe du vert des vergers, gorgés de pluie, gonflés de sève, nourris de rêve.

Pourtant, ce soir d'automne, votre âme est romantique : en ce jour d'équinoxe, vous faites la balance entre les 2 saisons, entre nos 2 pays.

La Balade de Chopin où vous promenez notre ouïe et notre cœur qui dit oui, donne assentiment à nos sentiments. La Nocturne, trépidante, comme quand les feuilles s'ébrouent après l'averse au clair-obscur d'une forêt, et grave, comme quand on accompagne l'être aimé en sa dernière demeure, sous la terre.

Ukraine, tu te relèveras dans la moisson des blés que porteront tes mères en leur sein nourricier !

Église Saint-Pierre de la Briquette, Marly, 23/09/22

La façade du mur puise du soleil la lumière qui révèlera les couleurs, éclairera les zones d'ombre, dévoilera le symbole caché.

Tiède lumière en ce matin frais d'automne qui réchauffe le corps sculpté d'Apollon, bras levé, yeux clos, dans un moment d'extase avec l'astre dont il est le chantre officiel ; qui réchauffe aussi la cape de la muse en communion avec l'étoile qu'elle identifie peut-être à son Dieu.

En face, Achille, blessé au talon, supplie la belle nudité, au pignon du musée, de lui porter un regard, tendre sa main, offrir son amour ?

Musée de Valenciennes, 24/09/22

Trouée de froid dans l'air tiède qu'octobre nous amène.

Parfois, douce chaleur sur la nuque posée, parfois fraîcheur qui nous prend d'un coup à la gorge.

Le soleil joue aux dames avec sa lumière : il déplace ses ombres d'arbre en arbre.

Son jeu est perdu d'avance : la nuit vite venue reprend les pions, les range dans sa boîte.

Dans ce tissu de mensonges qu'osent dévoiler les étoiles, il nous faut raccommoder nos rêves, resserrer les nuages et recoudre le soleil.

Rue des Sources, Marly, 04/10/22

La cheminée du château fume tranquillement, emportée par le vent qui, doucement, fait bruire les feuilles : chuchotis d'apeurées.

Qui tombera lors de la prochaine expiration ?

La feuille du platane, peu contrariée ?

La feuille du tilleul tremblotant de peur ?

La feuille du bouleau, palpitante de vie ?

Proche, l'Aunelle apaisée ralentit, dans un coude, savoure ce soir où l'air sent le bois brûlé. Ne vous méprenez pas, arbres, vous m'êtes précieux !

Frasnoy, 05/10/22

À vous sentir, roses au bord du chemin, le soir se rafraîchit, garde un peu de la chaleur dont l'automne nous prive.

Des fleurs gardent au creux de leur corolle ce parfum que l'été concocta, que les pétales délivrent au vent, avant de s'essaimer dans chaque narine.

Plus d'abeilles pour transporter ces douces fragrances !

Je hume une dernière fois, avant que le froid ne fasse de ces parfums un doux souvenir…

Vendegies-sur-Écaillon, 14/10/22

Ce soir, le parc soupire une tiède haleine, mélange d'humus, de feuilles mortes et de vase. L'étang, caché par les arbres, murmure à l'oreille des canards, bientôt endormis sous leurs ailes.

Seul un rai de lumière filtre à travers les troncs : c'est celle du réverbère, reflété dans l'eau.

Ça semble une danse de luciole…

Derrière moi, la rumeur de la ville, ronronnement qui me berce : assis sur un banc, à l'abri des regards, je défie le noir !

Parc de la Rhonelle, 17/10/22

Sous la verrière du salon, on prétendrait être en plein jour !

La lumière éclabousse les vitraux floraux comme le soleil lors d'une éclaircie : jardin au-dessus de nos têtes, autour de nous, quand les plantes stuquées grimpent aux angles des murs, bravant le brasier qui longe les parois jusqu'au plafond.

Pourquoi de fausses lumières pour éclairer le parquet, le paravent, le mobilier dans cette atmosphère surannée fin de siècle ?

Ce soir, le violon, la harpe nous entraînent aux sons des mélodies dans un autre temps où les robes se froissaient, en douceur, du salon au jardin...

Nuit des Musées, Maison Losseau, Mons, 21/10/22

Sentier des caches sous la lumière automnale : c'est une haie d'honneur d'arbres fantastiques ! Les troncs ont pris vie, Ents centenaires qui craquent leur bois pour communiquer entre eux.

Au bout du chemin, qu'y vais-je rencontrer ?

Un lapin blanc en retard d'une saison ?

Un renard qui cherche à apprivoiser un enfant ?

Un petit chaperon rouge, panier en main, parti de bon matin, toujours en promenade ?

Peut-être aussi un portail vers un autre monde, celui-là que Tolkien ou J-K Rowling ont franchi un soir d'automne, sans retour possible…

Frasnoy, 23/10/22

Averse automnale réjouit toujours le saule pleureur, qui s'esbaudit sous la fraîcheur de l'air, fait rouler les gouttes le long de ses branches jusqu'à l'extrémité de sa feuille, avant que l'étang ne la happe.

Mais le saule pleure deux fois : il perd aussi ses feuilles jaune clair qui se mêlent au vert de la vase.

Ici je ressens sa joie d'entendre le clapotis des gouttes sur le tapis de feuilles qu'a brodé le platane.

Parc de Fresnes-Sur-Escaut, 24/10/22

Watteau contemple le parc pour son inspiration.

Sa peinture, toute de nuances automnales, saisira l'ocre des feuilles éparses sur l'herbe, le vert tendre des charmes qui perdure, le violet des géraniums, le blanc laiteux et le rose incarnat des anémones.

Autant de couleurs qui égayent la palette et qui se marieraient aux tenues des arlequins fantasques et des colombines aguichantes.

Regardez-les : l'une ôte son loup ; démasquée !

L'autre jette un regard vers l'église.

Quel péché va-t-il commettre ce soir lorsque les pigeons tutoieront les tourterelles ?

Parc Saint-Géry, Valenciennes, 29/10/22

Novembre à Montmartre.

Le ciel s'est recouvert d'un voile.

Même si la lumière est ténue, le soleil est absent, la lumière du cœur, sacrée, nous inonde.

Je monte à Montmartre le long de la rampe, vers toi, Sacré Chœur, pour un bain de foule.

Quelle ferveur s'empare des croyants, ou des simples visiteurs, lorsque nous faisons face au Christ, bras ouverts pour embrasser le monde, chaque humain, qui s'incline, s'humilie, pauvres agneaux de Dieu !

Montmartre, 5/11/22

Notre-Dame du Sacré-Cœur, je vous salue !

Même si notre ciel s'est ennuagé, même si la lumière nous est dérobée, votre compassion pour les âmes souffrantes inonde les cœurs de cette douce espérance, tandis que la clepsydre de notre vie s'écoule.

Les Anges miséricordieux autour de vous, couronne sainte qui vous glorifie aux cieux, semblent loin de nous, pauvres corps pesants mais vous nous montrez pas votre regard si tendre bien que nous soyons tombés si bas en ce monde : la plus humble pénitence, c'est l'humilité.

Cœur immaculé de Marie, priez pour nous !

Sacré Cœur, Montmartre, 5/11/22

Novembre.

Il fait dimanche sur la mer du Nord.

Un ciel de traîne s'est abattu sur le port.

L'horizon est bouché.

Nulle aide ne viendra d'outre-Atlantique percer la ligne !

Défense d'accoster sur la plage : la ville s'est refermée comme un coquillage qu'un grain exaspère.

Au musée portuaire : hasard ou pied de nez ?

Une exposition « Horizons » prend le large et dévoile la beauté des lignes bleu azur ou dorées lorsque le ciel n'est plus annexé, libéré par le vent, sans nuage aucun… à l'horizon !

Dunkerque, 6/11/22

11 novembre.

L'Armistice sonne sur toutes les cloches : la guerre est finie.

Aujourd'hui, ce soir d'automne, sous ce ciel rougeoyant pleurant le sang versé, je rends hommage aux soldats britanniques, allemands qui, loin de leur patrie, sont ensevelis côte à côte dans une fraternelle paix.

Des nuages roses, comme la joue de ces jeunes tombés au combat, des lignes bleu azur ou dorées, lorsque le ciel n'est plus annexé, libéré par le vent…

Une délégation de sapins, peut-être venus des forêts Celtes ou de la forêt Noire, salue la vigueur de leur corps arraché à la terre.

Mémoire soit faite au pied de la stèle : espérons que le soleil qui se lèvera, à l'horizon, sera radieux !

Cimetière britannique de Saint-Symphorien, 11/11/22

Champollion a levé le voile du mystère des hiéroglyphes, longtemps dissimulés au profane qui y voyait des pictogrammes.

Bras, serpent, vautour, êtres inanimés qui s'animaient sous les prières des prêtres, sous le regard bienveillant des pharaons ou la traduction de l'archéologue.

Du grec au démotique puis à l'Égyptien, voici que les pierres gravées reprennent vie, les parchemins élimés retrouvent du sens.

Merci à l'étude, à la science, à l'esprit clair des savants de nous avoir fait la lumière sur les antiques et obscurs hiéroglyphes.

Exposition Champollion, la voie des Hiéroglyphes,
Louvre-Lens, 12/11/22

Chapelle de la Bonne Mort, priez pour moi afin que, comme Joseph, je meure dans un âge avancé, ayant vécu à mille saisons, mille étoiles.

Combien de temps, ô, combien de temps encore la nature va m'offrir, ici, en ce bois, entre le canal de Blaton et les Bruyères ; l'un conduisant les âmes sur le fleuve de notre vie : la Mort, l'autre, plante vivace des solitudes froides, que l'on dispose sur le marbre de nos tombes. Aujourd'hui, en cette heure du soir je ne pleure ; le destin est sans appel : demain, je meurs…

Blaton, 13/11/22

Comme toi, peuplier, je m'incline un peu, plié par le vent cornant novembre, ployant sous le poids du temps.

L'automne, sonnant son plein midi, brûle à petit feu les patientes feuilles, fanant les pétales des dernières roses, résistant au fil des ans, à la morsure du froid.

La vue baisse, mon âge, loin d'être à son automne, penche imperceptiblement vers la quarantaine.

La mort s'insinue dans chaque pore, chaque pli, chaque brin d'herbe sur les pentes humides va déclinant. L'année se plie : restons dignes jusqu'à la totale tombée du rideau.

Dans la rue, Marly, 23/11/12

Le parc s'enlumine avec ses feuilles d'or.

L'automne flamboyant, tracé à la sanguine, expose son dessin.

Pressée l'orange, reste la pulpe collée à l'horizon.

Bientôt, c'est la fête de la lanterne magique.

Le château est couronné d'une guirlande lumineuse : légende d'un soir dans les brumes des bois.

Au ras du champ, le tadorne souligne le silence qu'enveloppe ce lieu, calme, nous foulons les allées de feuillus, humant la résine du pin, l'humus d'où s'élève la fraîcheur exhalée de la bouche d'une fée.

Château de la Hulpe, 27/11/22

Comme ils semblent sereins, les canards, ce matin, quelques heures avant le réveillon qui va sonner le glas pour la menue volaille : pintade, chapon, que de nombreux spécimens vont être engloutis dans les estomacs avides des humains !

Vides aussi leurs comptes, après les dépenses de cadeaux, d'énergie déployée pour satisfaire l'un et l'autre.

Alors, volatile, profite du ciel, du soleil qui s'invite à votre table, du bruit de la cascade (eau-de-vie moins brutale que les spiritueux dont notre corps s'imprègne) et du calme de l'étang repu de silence…

Parc de la Rhonelle, 24/12/22

Miel d'été, tu arrives en ce début d'hiver comme un baume pour nos gorges enflammées par ce vent qui souffle le chaud, le froid…

Tu fus confectionné avec patience (sagesse ?), par ces milliers d'abeilles qui se sont régalées des fleurs des jardins, des cerisiers qui embellissent le quartier.

Hélas, un mal naturel, ou plutôt humain a décimé vos familles, tué toute reine.

Nous voici à l'aube d'une année nouvelle : nous ne nous verrons pas le printemps prochain…

Résidence La Fontaine, Marly, 27/12/22

Imprimé en France
Achevé d'imprimer en août 2023
Dépôt légal : avril 2023

Pour

Le Lys Bleu Éditions
40, rue du Louvre
75001 Paris